Hermann
Jandl

Vom frommen Ende

Prosa

C0-ANB-427

S. Fischer

Lektorat: Hans-Jürgen Schmitt

PT
2670
A484
V6

Erstausgabe
© S. Fischer Verlag GmbH
Frankfurt am Main 1971
Gesamtherstellung: Franz Kahm KG, Frankenberg-Eder
Gesetzt aus der Times-Antiqua
Printed in Germany 1971
ISBN 3 10 036302 7

St. Olaf College Library

Reihe
Fischer

Inhalt

02022

Eine neue gesellschaftliche Stellung

Die Befreiung von einem Übel

Am Morgen des dritten Tages vor seinem Tod löste sich an jener Stelle seines Gehirns, an der er seit mehreren Wochen einen quälenden Druck verspürt hatte, etwas wie ein Knoten.
Dabei war ihm, als schösse all sein Blut in den Kopf. Er wurde benommen und rang nach Luft, sein Körper bäumte sich im Bett – und fiel schlaff zur Seite.

Gegen Mittag erwachte er und fühlte sich schwach. Langsam stieg er aus dem Bett und schlurfte ins Bad. Sein Gesicht war eingefallen und blaß, die Augen waren unnatürlich aufgerissen und schienen aus den Höhlen zu treten.

Der Blick war unmißverständlich der eines Hundes.

Wer war er?

Franz Seippel, geb. 1929 in Mürzzuschlag, röm.-kath., ledig und alleinstehend, Buchhalter der Firma Crautz & Co., bislang unbescholten. Der Vater Polizeibeamter i. R., die Mutter im Haushalt.

»Auf, auf, ihr faulen Schläfer, die Sonne ist schon wach!« Das war der Weckruf des Vaters zur Sonntagsmesse gewesen. Damals hatte noch kein Knoten im Gehirn gedrückt, obgleich der Vater Franz oft auf den Kopf schlug.

Aber auf vier Schnitten Brot lagen jedesmal vier Schnitten hauchdünner Wurst.

Durch die Wurst sah Franz die Butter, durch die Butter das Brot.

Nur das Brot war dick. Und alt, damit es etwas ausgab.

Franz lernt seine Kollegen kennen

Am Vorabend des dritten Tages vor seinem Tod wusch Franz seine Hände vor dem Verlassen des Büros mit gewohnter Gründlichkeit.

Plötzlich horchte er auf:

»Was mir an Kollegen Seippel nicht gefällt, ist sein hündischer Blick.«

»Es ist nicht nur der Blick! Haben Sie schon einmal gesehen, wie er sich setzt?«

»Nein.«

»Er dreht sich dabei ein-, zweimal um sich selbst – wie ein Hund vorm Niederlegen.«

»Gestern im Waschraum hat er seinen Rachen vorm Spiegel ganz weit aufgerissen, die Zunge ist ihm bis zum Kinn . . .«

Franz Seippel stürzte aus dem Waschraum und an den beiden Kollegen vorbei ins Freie!
»*So weit* ist es also! Die anderen haben es auch schon bemerkt!«

Franz weiß es:
»Jeder ist seines Unglückes Schmied«

Franz ging in sein Zimmer zurück, ließ sich auf die Bettkante fallen und starrte vor sich hin.
Er steckte sich eine Zigarette an und telefonierte mit seinem Büro: Krankenstand.

Arzt rief er keinen. Er hatte kein Vertrauen zu Ärzten. Außerdem wußte er über seinen Zustand gut genug Bescheid. Zuerst einmal mußte die Wohnung in Ordnung gebracht werden. Franz betrat die Küche.

Neben dem Herd standen die feuchten Papiersäcke mit den Speiseresten.
Ein Schwarm Mücken flog auf, als er sich anschickte, einen Sack hochzuheben.
Erschrocken hielt er inne, sah ängstlich nach dem Brot und hüllte es sorgsam in Papierservietten.
Er mußte verhindern, daß die Mücken aus den Unratsäcken mit dem Brot in Berührung kamen.

Der Herd war von Zucker-, Wurst- und Käseresten verklebt. Ein Wassertopf, weiß von abgelagertem Kalk und fleckig von vertrockneten Teeblättern, stand zwischen zwei blauen Päckchen:
das eine enthielt jodiertes Salz, das andere zwei rohe Eier. In der Abwasch lagen zwei verkrustete Teller, ein Löffel, ein Messer und zwei Zitronenschalen.
Dazu stank es in dem kleinen, kaum vier Quadratmeter messenden Raum penetrant.
Der seit langem erwartete Zeitpunkt vollkommener Ohnmacht gegenüber Unrat und Unordnung war für Franz eingetreten. Trotz dieser Erwartung traf ihn der Schlag mitten ins Gesicht.

Ruckweise, in kurzen Intervallen, sackte sein Kopf tiefer. Das fand sein vorläufiges Ende, als sich die Nasenspitze dem blauen Päckchen (mit jodiertem Salz) bis auf etwa 5 cm genähert hatte.
Jodiertes Salz verwendete Franz zur Vorbeugung gegen Kropf.

Wie Franz seinen Humor beinahe verlor

Der Buchhalter Franz Seippel, ein stets ehrlicher und aufrechter Beamter (Crautz & Co.), war bemüht, sich wieder aufzurichten.

Von der schweren Nacht war er zu sehr mitgenommen, als daß er seinen gegenwärtigen Zustand hätte als Witz auffassen können.
So zeigte sich auf seinen Lippen nicht das geringste Lächeln.

In seiner neuen Haltung, an die er sich unerwartet rasch gewöhnte, verließ Franz die Küche, durchschritt Zimmer und Vorzimmer und suchte das Bad auf.

Der Spiegel an der Wand war plötzlich sehr klein und hing sehr hoch.
Es gelang Franz Seippel nicht, sich darin zu erblicken.
Daher ließ er das Waschbecken vollaufen.
Aber auch der Wasserspiegel bot ihm nur den Umriß eines Kopfes in schmutzigem Grau.

Lange verharrte er darüber und suchte.

Schließlich beugte er sich noch tiefer.

Bevor jedoch seine Nase ins Wasser tauchte, rastete die Wirbelsäule in die neue Stellung ein und fixierte sie.

Nur Mut, Franz, es geht wieder aufwärts!

Erstmals an diesem Morgen huschte ein Lächeln über Franz Seippels Gesicht. Anlaß dazu war die Feststellung, daß er mit den Fingerspitzen plötzlich mühelos den Fußboden erreichen konnte.

Nach so vielen Jahren gelang ihm das jetzt zum erstenmal wieder.

Nach so vielen Jahren seit seiner letzten Turnstunde, in denen er an Umfang zugenommen hatte, so daß er schließlich froh sein mußte, mit den Handflächen die *Knie* zu erreichen.

So mancher Lehrer fiel ihm ein, als er sich anschickte, zu wippen – tiefer und tiefer.
Dabei freute er sich ob des verlorenen Knotens im Gehirn und fühlte sich seltsam beglückt.
Nach kurzer Zeit – wie bist du tüchtig, Franz – gelang es ihm, den Boden mit den Hand*flächen* zu berühren, . . . und wenige Übungen später lief er auf allen vieren in sein Zimmer zurück.

Er machte große Sprünge von der einen Zimmerecke zur anderen, sprang auf das Bett, zerstörte die Polster und warf das Leintuch zu Boden.
Und dazu rief er und sang er und – – plötzlich hielt er inne:

ein Hund hatte gebellt.

Er fragte laut – und hörte sich selber bellen.

Franz Seippel lief in die Küche und schnüffelte in den offenen Säcken mit den Speiseresten, aus denen die Mücken aufflogen.
Er schnappte nach ihnen, erwischte eine – und ließ sie langsam auf der Zunge zergehen.

Schließlich japste er ins Zimmer zurück, rollte sich nach Hundeart über den Teppich und streckte wohlig alle viere in die Luft.

Der Teppich war rauh und seinem Rücken wie ein Fell. Auf das Jucken reagierte er mit dem Schaben des Rückens auf dem Teppich.
Denn mit den Pfoten konnte er seinen Rücken nicht mehr erreichen.

Franz gewinnt viel Freude am Schauen

Nachdem der Hund einige Stunden geruht hatte, erhob er sich wieder auf die Beine und trottete zum Bücherkasten.

Wenn er den Kopf schön aufrecht hielt, konnte er sein Spiegelbild im Kastenglas erkennen.
Er bellte es an.
Das Spiegelbild bellte zurück.

Franz wunderte sich, daß der Hund im Spiegel zur selben Zeit bellte.

Wie konnte der andere wissen, wann er, Franz, bellen wollte?

Franz legte den Kopf auf die *linke* Seite – das Spiegelbild neigte den Kopf ebenfalls. Aber, vom Spiegel aus betrachtet, nach der *rechten* Seite.

Franz hielt also den Kopf nach der *linken,* der Hund im Spiegel den seinen nach der *rechten* Seite geneigt, und doch – Franz war dessen sicher – neigte der Hund im Spiegel seinen Kopf immer nach derselben Seite wie Franz selbst.

Nicht für die Schule, für das Leben lernen wir!

Franz Seippel war der Meinung, er sei ein *schöner Hund*. Er überlegte.
Und seine Überlegungen gingen so:

Aus einem schönen *Hund* mußte nicht notwendig auch ein

schöner *Mensch* werden.

Aus einem schönen *Menschen* aber unbedingt ein

schöner *Hund!*

Stand doch der *Mensch* weit über dem *Hund!*

Nicht ohne Bangen freilich sah er seinem ersten Zusammentreffen mit *anderen* Hunden entgegen.
Ob die ihn *auch* schön finden würden?

Vielleicht würden sie ihn als getarnten Menschen entlarven und ihn ob solcher Verwandlung, hinter der sich ein schlechter Charakter verbergen konnte, schneiden, verachten oder gar attackieren?

Franz versuchte, den Bücherkasten aufzukriegen.
Er klemmte die rechte Pfote in den Türspalt, doch vergebens. Das Schloß war zu weit oben.
Er sprang nach dem Schlüssel – aber der Schlüssel fiel aus dem Schloß.
Traurig blickte Franz auf die Bücher hinter den Scheiben.

Unerreichbar für ihn, in der zweitobersten Reihe, standen seine Naturgeschichtsbücher.
Er hätte nur zu gern gewußt, welcher Hunderasse er angehörte!
So faßte er denn seine spärlichen Kenntnisse der Kynologie in folgende Kernsätze zusammen:

1. Hunde sind Vierbeiner.
   Zum Laufen, Stehen und Gehen verwenden sie alle vier Beine.
   Ist ein Bein verletzt, so hinkt der Hund.
2. Meist hat der Hund einen großen Kopf.
   Seine Augen sind schlecht, aber sein Geruchssinn ist vorzüglich.
   Die Zunge ist lang und rauh.
   Er kann sie weit aus dem Maul hängen.
3. Es gibt hohe und niedere Hunde.
   Manche Hunde berühren mit dem Bauch beinahe den Boden.
   Es gibt auch gerad- und krummbeinige Hunde.
   Manche Hunde haben einen langen Schweif, manche einen ganz kurzen.
4. Auch bei den Hunden gibt es Männchen und

Weibchen, aber die Männchen laufen den Weibchen nach. Dabei entstehen fortwährend neue Hundeformen.

5. Der Hund hat einen Charakter.
   Meistens ist der Hund treu.
   Er liebt seinen Herrn, wenn er einen hat. Der Herr bezahlt für den Hund die Steuer.
   Dafür trägt der Hund eine Hundemarke.
   Frei herumlaufende Hunde werden eingefangen und kommen ins Tierschutzhaus.
6. Es gibt sehr viele Hundearten: Wolfshund, Dackel, Pudel, Windhund und andere.

Aber Franz war nicht imstande, sich irgendwo einzuordnen. Das betrübte ihn sehr.

Franz ist nicht mehr allein

Der Morgen des zweiten Tages vor seinem Tod begann für Franz mit einer Überraschung.

Die Sonne stand schon hoch am blauen, wolkenlosen Himmel. Franz fühlte sich wohl.

Erstaunt blickte er sich um.
Zu seiner grenzenlosen Verwunderung sah er sich neben sich stehen, aufgerichtet und im dunklen Anzug. Wie war das möglich?

Aber beim Nachdenken spürte er an der bewußten Stelle in seinem Kopf wieder einen leichten Druck.
Das Blut in seinem Körper pulsierte plötzlich stärker.
Es strömte nicht mehr nach *oben,* sondern nach *vorne* zum Kopf.

Angstvoll blickte er der Erscheinung über sich ins Gesicht – und sah dann wieder hinunter in seine Hundeaugen und auf seinen zitternden Körper, wie er sich eng an seine Hosen schmiegte.

Nach Augenblicken gegenseitigen Staunens setzte er sich auf die Bettkante, zog sich näher zu sich heran und strich mit der Hand über seinen Körper zu seinen Füßen.

Immer wieder blickte er zu sich hinauf und zu sich hinunter. Und beide wußten nicht, was sie sagen sollten.

Denken schafft Kurzweil

Die Langeweile befiel sie.
Sie begannen ein Spiel.

Franz dachte Küche und Franz dachte Küche.
Franz dachte Essen und Franz dachte Essen.

Franz ging in die Küche und neben sich ging er auch in die Küche.
Dann lief er schnell ins Bad, aber auch er lief schnell ins Bad.

Sie dachten an den Vater. Und an die Schläge auf den Kopf. Sie dachten an die Mutter. Und an das schlechte Essen.

Sie dachten an den Krieg. Und an die Angst im Keller.
Sie dachten an die Schule. Und an die Lehrer.

Sie dachten an die Krankheiten und an den Tod.
Sie dachten an das Leben. Und wie schön es war.

Erschöpft und der Wunder voll beendete Franz das Spiel. Er hatte Hunger, japste vom Boden hoch auf alle viere und schnappte nach einer Fliege.
Die Fliege zerdrückte er zwischen Zunge und Gaumen, und als er sich im Bad übergab, verdarb er sich die Hosenbeine.

Es war ihm nicht mehr möglich, ins Büro zu gehen.

Begegnung ohne Folgen

Franz Seippel ging aus.
Er band einen alten Wäschestrick um seinen Hals, nahm sich an der Leine und stahl sich aus der Wohnung. Wie ein Dieb.

Er drückte sich eng an sich und schlüpfte zum Haustor hinaus.
Eine Bekannte kam des Wegs. Franz grüßte und schnüffelte an ihrer Tasche.
Mit einem Ruck an der Leine riß er sich von der Dame los und stürmte die Straße hinunter.

Dort stand ein Hund.

Franz näherte sich dem Hund vorsichtig.
Der andere Hund wartete ab.
Sie kamen einander näher.
her scharf an.
Der andere Hund duckte sich und sah Franz von unten

Franz blieb stehen, riß sich schärfer an der Leine und wartete gleichfalls ab.

Der andere Hund kam näher.

Sie waren noch etwa zehn Schritte voneinander entfernt, als der andere Hund losschoß und auf Franz zulief. Schweifwedelnd, was als positives Zeichen gelten konnte.
Franz war der andere Hund sympathisch. Es war ein großer Schäfer. Zweifellos ein Rassehund.

Er machte sich von hinten an Franz Seippel heran – und drehte enttäuscht ab.
Winselnd und mit eingezogener Rute nahm er die Straße hinunter Reißaus.

Am unteren Straßenende, dort, wo beiderseits der Fahrbahn Bäume gepflanzt waren, zerrte Franz scharf an der Leine. Franz spürte den heftigen Zug in der Hand und blickte scheu nach allen Seiten.
Konnte, *durfte* man es hier wagen?
Oder hatten die Leute das Spiel bereits durchschaut?

Aber Franz zerrte weiter an der Leine, blickte teils zornig, teils bittend zu seinem Gesicht hoch und wußte nur noch eines: *Ich muß doch!*

Leute kamen vorüber, blieben stehen, blickten den Hund an, dann seinen Herrn, *wieder* den Hund, *wieder* den Herrn, schüttelten den Kopf oder lachten (oder beides) und wunderten sich ob solcher Ähnlichkeit.
Bis es Franz zuviel wurde: ein wütender Riß an der Leine – und die Leine riß entzwei.

Franz stürzte zum nächststehenden Baum, während er, den kurzen, abgerissenen Leinenrest in der Hand, vor dem Gelächter der Menschen her die Straße zurücklief.
Der Kopf brannte ihm vor Wut und Scham – er mußte sich an dem Baum entleeren.

In gehetztem Lauf erreichte er sein Haus, eilte die Stiegen hinauf, schloß die Wohnung auf und wollte die Tür rasch wieder vor sich zuknallen.
Aber *er* war schneller:

Es gelang ihm, im letzten Moment neben sich durch den Türspalt in die Wohnung zu springen.
Es war zum Verzweifeln!

Eine Weile später aber verstand er von allem gar nichts mehr, räkelte sich rücklings auf dem rauhen Teppich, streckte die Beine in die gute Luft und strich sich immer wieder begütigend über den Hundebauch zu seinen Füßen.

Franz gewinnt seine größte Erkenntnis: Nicht er, die Welt ist verrückt!

Am letzten Tag vor seinem Tod erwachte Franz erst am späten Nachmittag – und fand sich allein.

Er sprang aus dem Bett, blickte darunter, suchte hinterm Kasten und im Bad nach sich –, aber er konnte sich nicht finden.

Er trat vor den Badezimmerspiegel und blickte hinein.

Mit schmerzlichem Bellen taumelte er gegen die Wand zurück. Mistschaufel und Bartwisch fielen scheppernd zu Boden. Ein Hundekopf hatte ihm aus dem Glas entgegengestarrt.

Er ließ die Arme an seinem Körper herabhängen, schwenkte sie vor und zurück, hob sie, betrachtete seine Hände, öffnete die Finger, schloß sie, betrachtete seine Handgelenke, seine Fingernägel – und ließ die Arme wieder sinken.

Es waren seine Arme. Die Arme eines Menschen.

Er wandte sich vom Spiegel ab, hob den Kopf, schloß die Augen und betastete sein Gesicht:
Stirn – – Nasenrücken – – Nasenlöcher – – Augen – – Wimpern – – Ohren – – Hals – – – –

Es war das Gesicht eines *Menschen.*
Unzweifelhaft das Gesicht eines Menschen!

Wieder blickte er in den Spiegel, und wieder schrak er zurück:

Im Spiegel war ein Hund. Ein leibhaftiger Hund! Aber sein Körper war der eines Menschen!

Der dicke Bauch stand prall vor, aber die Beine waren locker und gelenkig, und die Füße standen fest auf dem kalten Steinboden.
Was ihn wunderte, war nur, daß er vollkommen nackt dastand. Er schlief doch sonst nie unbekleidet.

Er ging wieder ins Zimmer zurück und trat zu seinem Bett.

Da lag er.
Ein jämmerlicher Hund in *seinem* dunklen Anzug!

Er stürzte auf sich los, packte sich am Ärmel und riß sich aus dem Schlaf!
Alles Gekläffe half nichts: erbarmungslos riß er sich heraus aus dem Bett und schleuderte sich auf den Teppich.

»*Hier* ist dein Platz!!!« brüllte er sich an. »Und das ist der *meine*!!!«
Und er setzte sich auf die Bettkante.

Franz kauerte sich auf dem Boden zusammen, den dunklen Anzug grau vom Staub des Teppichs.
Unvermittelt sprang er hoch, trommelte mit den Pfoten wild auf sich ein und stieß sich von der Bettkante auf den Boden hinunter.

»*Hier* ist dein Platz!!!« bellte er, spreizte alle viere und kläffte unaufhörlich zu sich auf den Teppich hinunter.

»Das ist das Ende!« winselte Franz auf dem Boden.
Aber Franz sprang aus dem Bett, schob die Krawatte zurecht, klopfte sich mit den Hinterpfoten den Staub aus dem Anzug, japste in die Küche, kam mit einer langen, starken Schnur wieder, band sie sich um den nackten Hals, klatschte sich eine feste übers Hinterteil und ging mit sich auf die Straße.
Franz lief auf allen vieren neben sich her.
Er war diese Fortbewegungsart nicht gewohnt und schämte sich seiner Blöße.
Aber auch Franz stand und ging nicht mehr sicher: der Anzug war heiß und beengte ihn.

Überdies fiel es ihm schwer, sich nur auf den Hinterpfoten zu halten.

Vor einer Bedürfnisanstalt zerrte Franz an der Leine. Bittend blickte er zu sich empor, aber Franz hatte kein Erbarmen. Er zog sich weiter bis zu den Bäumen am Ende der Straße.

»*Hier* geht es!« bellte er.

Leute gingen vorüber. Sie blieben aber nicht stehen. Keiner lachte oder schüttelte auch nur den Kopf.

Franz gewinnt endlich ein klares Bild seiner neuen gesellschaftlichen Stellung

Brr – hu – es ist – hell – – – draußen der neue Tag – – brr – der letzte Morgen? – – brr – –
Franz – – liegt auf dem Teppich – – in der Mitte des Zimmers – nackt – – es ist kalt – – das Fenster *weit* offen – Himmel blau – – wolkenlos – – Druck – – auf Brust – – Druck – brr – – Druck – brr – – *Druck läßt nicht* – – *nach* – – die kleinen Mücken aus den großen Säcken – – mit den Speiseresten – – brr – – fliegen aus der Küche – – in das – – Zimmer – – –
Die erste Mücke setzt sich dem Franz ins *linke* Nasenloch – – Franz schiebt die Unterlippe vor und bläst sie – fff – fort. Die zweite und dritte Mücke setzen sich auf das *linke* und das *rechte* Auge – –

Franz *schließt* die Augen – – die Mücken weichen aus – Franz *öffnet* die Augen – – die Mücken kommen wieder – – Franz schließt die Augen – öffnet sie

– schließt die Augen – – öffnet sie – schließt die Augen – öffnet sie – schließt – die – – – – – – Augen – – – – und – – – – öffnet sie – – – – – – reißt sie weit auf – – – reißt sie weit auf reißt sie weit auf – – – – – – – dunkel – – – reißt sie weit weit weit weit weit weit

Die Mücken sitzen ruhig auf den Pupillen – und schauen in den Franz hinein.

Der Befund

Vor dem Röntgenschirm saß derselbe Arzt, der ihm damals gesagt hatte: »Sie sind krank!« Wilhelm Konrad Röntgen erhielt 1901 den Nobelpreis. Ich sollte wenigstens einmal am Tag warm essen. Der Arzt blickte durch ihn hindurch, beobachtete seine Lunge, wie sie sich weitete und wieder verengte, wenn er einatmete und wieder ausatmete.

Wilhelm Konrad Röntgen, geboren 1845 und gestorben 1923, entdeckte 1895 die nach ihm benannten Röntgenstrahlen. Ich sollte nicht rauchen. Der Arzt suchte. In Brunn am Gebirge gibt es eine Gasse, die den Namen Wilhelm Konrad Röntgen trägt, die Wilhelm-Konrad-Röntgen-Gasse. Ich sollte nicht trinken.

Der Angstschweiß rann ihm an der Seite herunter. Er wartete auf das erlösende »Danke, alles in Ordnung«. Noch konnte der Arzt etwas finden. Wie damals. Brunn am Gebirge ist eine Ortschaft südlich von Wien am Fuße von Weinhügeln. Ich sollte mich wärmer anziehen. Noch konnte es sein, daß der Arzt die Brille abnahm, ihn ernst ansah und sagte: »Sie sind wieder krank!«

Das Röntgen ist die internationale Einheit für die Stärke der Röntgenstrahlen. Ich sollte nicht so spät zu Bett gehen. »Bitte tief einatmen! Nicht atmen!« Brunn am Gebirge ist eine große Gemeinde, in der es täglich mit Ausnahme der Feiertage mindestens ein Begräbnis gibt. Ich sollte eine Freundin haben. Er dachte an die Mutter, die an doppelseitiger Lungenentzündung gestorben war.
Von Brunn am Gebirge kann man in 1 Stunde auf rot markiertem Weg Gießhübl erreichen. Zwei Hände griffen nach ihm, faßten ihn an den Ellbogen, hoben

einen Arm an und zogen den anderen hinunter, hoben den anderen an und zogen den einen hinunter. Ich sollte Sport betreiben. Schwimmen, Rudern, Golf, Budern.

Er hielt das Kinn am oberen Rand des Röntgenschirms ruhig aufgestützt. In Brunn am Gebirge schlug einer einen Brunnen. Ein junger Hund fiel in den Schacht. Als man ihn fand, bestand er nur mehr aus Knochen. Ich sollte zum Zahnarzt gehen. Er durfte wieder atmen.

Im Krankenzimmer saßen Kranke und Gesunde, mehr Kranke oder mehr Gesunde (?), und warteten.

Der Röntgenapparat ist eine Vorrichtung zum Erzeugen von Röntgenstrahlen, bestehend aus den Röntgenröhren und den Hochspannungsgeräten. Ich sollte heiraten. Der Besitzer des Hundes war sehr verärgert. Einem Lungentuberkulosen sieht man sein Leiden nur selten an.

Die Röntgendiagnostik ist die Anwendung der Röntgenstrahlen zum Erkennen von Krankheiten (Lunge und andere innere Organe, Knochenbrüche usw.). Der Besitzer des Hundes erstattete bei der Polizei die Anzeige.

Da kommt dir auf der Straße jemand entgegen oder steht in der Straßenbahn neben dir oder ißt im Gasthaus mit dir an einem Tisch und du könntest augenblicklich schwören, das sei einer, weil er a) so mager ist (Ich sollte heiraten), b) so große und glänzende Augen hat (Ich sollte Sport betreiben), c) eine Schulter hängenläßt (Ich sollte zum Zahnarzt gehen), d) hustet (Ich sollte eine Freundin haben) und in das Taschentuch oder auf die Straße (Ich sollte nicht so spät zu Bett gehen) spuckt (Ich sollte mich wärmer anziehen) – aber er ist keiner (Ich sollte nicht trinken). Bei Brunn am Gebirge gibt es kein Gebirge.

Dann triffst du jemanden (Ich sollte nicht trinken), der so gesund aussieht wie du (Ich sollte nicht so spät zu Bett gehen), dem gibst du die Hand (Ich sollte eine Freundin haben), mit dem trinkst du an einem heißen Tag (Ich sollte zum Zahnarzt gehen) aus einer Flasche (Schwimmen, Rudern, Golf, Budern), aber der fühlt sich nicht krank (Ich sollte heiraten). Und doch ist er einer. »Sie sind krank!« hatte der Arzt gesagt.

Ich bin nicht krank.
Sie sind krank.
Nein.
Sie müssen sich damit abfinden.
Nie. Ich sollte mir neue Schuhe kaufen.
Sie müssen sich damit abfinden.
Nie. Und einen neuen Anzug.
Die Wilhelm-Konrad-Röntgen-Gasse mündet in die Alfons-Petzold-Gasse.

An einem Ende der Alfons-Petzold-Gasse stehen mehrere große Wohnhäuser. Jede Wohnung hat ihre Terrasse. Aber auch vom Stiegenhaus können fast alle Mieter den Friedhof sehen. Ich bin nicht krank.
Sie müssen sich damit abfinden.
Ich sollte spazierengehen.
Das behaupten die meisten Lungenkranken.
Er sperrte die Wohnungstür auf. Links steht ein Kasten, rechts liegt das Bad. Er ging ins Wohnzimmer.
So schauen Sie doch. Hier!

In der Höhe des linken Schulterblattes sollte eine Verschattung erkennbar sein. Alfons Petzold war Arbeiter-Dichter. Das Zimmer ist gleichzeitig das Wohnzimmer, das Schlafzimmer und das Eßzimmer. Rechts liegt eine Kochnische. Ich sollte eine Familie gründen. Er öffnete die Fenstertür und trat auf die Terrasse.
Leiden Sie an Müdigkeit?
Nein.
Schlafen Sie schlecht?
Nein.
Haben Sie Nachtschweiß?
Nur im Sommer. Ich sollte mir einen neuen Ofen kaufen. Robert Koch, geboren 1843 und gestorben 1910, entdeckte unter anderem den Tuberkelbazillus. Es gibt Wohnungen, von denen man den ganzen Friedhof überschauen kann. Aber nur für kinderreiche Familien.

Ich sollte ein Auto haben.
Husten Sie?
Nur wenn ich erkältet bin. Das Halten von Haustieren ist allen Mietern der Wohnhausanlage untersagt.
Sie müssen sich damit abfinden, daß Sie krank sind. Auf der anderen Seite liegt die Eisenbahnstation Brunn am Gebirge. Nicht wenige Züge halten hier. 1905 erhielt Robert Koch den Nobelpreis.

Ich bin nicht krank.
Sie werden wieder gesund werden. Haben Sie Mut. Ich sollte ein, zwei Kinder haben. Es begann zu regnen. Der Kinderspielplatz hat Röhren aus Beton, durch die man hindurchkriechen kann. Fast immer läutet irgendwo eine Glocke. Der Friedhof läßt sich nach drei Seiten erweitern. Weitere Wohnhäuser stehen in Planung. Er war wieder auf der Straße gestan-

den, hatte die Leute angeschaut, hatte versucht, in ihren Gesichtern etwas zu lesen. Er wußte nicht mehr, was. Er hatte sich in ein Gasthaus gesetzt, Schnaps und Zigaretten bestellt, geraucht, getrunken. Ich sollte öfter ins Kino gehen. Ich bin lungenkrank und muß mich daran gewöhnen. Ich sollte ins Theater gehen. Ich bin lungenkrank und muß mich daran gewöhnen. Ich sollte mir Schallplatten kaufen. Ich bin lungenkrank und muß mich daran gewöhnen. Und natürlich einen Plattenspieler. Ich bin lungenkrank und muß mich daran gewöhnen. Immer Schnaps. Ich bin lungenkrank und muß mich daran gewöhnen. Ich sollte mir neue Hausschuhe kaufen.

Jetzt war er gesund. Krank vor Angst, wieder krank zu werden. Fragte niemanden um Rat. Der Kinderspielplatz hat Röhren aus Beton, durch die man hindurchkriechen kann. Ich sollte mir eine neue Schreibtischlampe kaufen.
Wieder gab es ein Begräbnis mit Musik. Die Leute sahen und hörten vom Fenster oder der Terrasse zu. Die Kinder im Hof lärmten. Das Halten von Haustieren ist allen Mietern der Wohnhausanlage untersagt. Die Bilder kamen wieder.

Jetzt warf einer nach dem anderen eine Schaufel Erde (Ich sollte eine Familie gründen) auf den Sarg. Einer drängte sich vor (Ich sollte an Gott glauben können), wieso? Sein Befund war so gut, daß der Arzt die Röntgenbilder als schön bezeichnete.

Die Trauergäste zerstreuten sich. Ich sollte mir ein neues Bett kaufen. Er sah sich wieder im Krankenhaus. Am dritten Tag zog die Schwester etwas unter seinem Leintuch hervor. Sie hatte dunkles Haar. »Es gibt so viele Bettnässer«, sagte sie, »aber Sie sind keiner.«

Ich sollte meine Wäsche in die Wäscherei geben. Alfons Petzold war nicht der einzige österreichische Arbeiter-Dichter. Hinter der Eisenbahnstation sieht man die Burg Liechtenstein. Ein Mieter ist blind.

Rechts von ihm lag ein jüngerer Mann, mager und blaß. Auch er hatte etwas auf der Lunge. Links von ihm lag ein älterer Mann. Sehr groß oder lang. Gewiß Arbeiter. Jetzt arbeitete er nicht. Ich müßte Sport betreiben. Ich sollte früh aufstehen und früh zu Bett gehen. Ich sollte Zeitung lesen. Kurier.

Das nächste Begräbnis war ohne Musik. Täglich nahmen sie dem Arbeiter mehrere Liter Wasser ab. Ein Arzt nahm das Wasser mit nach Hause. Zu Hause hatte er ein schönes Haus mit einem großen Garten. Im Garten wuchsen viele Blumen. Er goß die Blumen mit dem Wasser aus dem Bauch. Nur wenige Trauergäste standen um das Grab.

Neben dem Bett stand ein Sauerstoffgerät. Die Schwester hantierte daran und preßte dem Mann, der mit dem Tod rang, die Maske ins Gesicht. Einer nach dem anderen warf eine Schaufel Erde auf den Sarg. Die Sonne kam heraus.

Ich sollte mir immer die Hände waschen. Links gegenüber lag ein Mann mittleren Alters. Fast gesund oder kaum ernsthaft krank, war er vor Wochen ins Krankenhaus gekommen. Mehr zur Beobachtung. Jeden zweiten Tag ließen sie ihn einen langen Schlauch schlucken und zogen ihn nach einer halben Stunde wieder aus dem Leib. Bis der Mann nervlich zusammenbrach.

Gründlichste Untersuchungen hatten ergeben, daß er gesund war. Ich sollte mich täglich kalt waschen. Ich sollte mindestens einmal am Tag warm essen. Ich sollte weniger telefonieren. Abends gibt es keine Begräbnisse.

Die Leute mußten doch auch kochen und essen. Ein Mann sagte zu seiner Frau: »Du stehst den ganzen Tag am Fenster.« »Das ist nur die erste Zeit«, antwortete sie. Der Mann ist Starkstromtechniker.

Von Brunn am Gebirge kann man schöne Spaziergänge unternehmen. Doch der Anninger, ein Berg, ist doch weit.
Daneben, ihm gegenüber, lag ein kleiner, sehr alter Mann. Er mußte das Bett streng, strenger, strengstens hüten. Nicht einmal bewegen sollte er sich. In Brunn am Gebirge wohnen mindestens zwei Maler. Nicht einmal mit dem Kopf.

Der Zug war so klein wie eine Spielzeugeisenbahn. Starker Wind kam auf. Vom Friedhof her. Er trat ins Wohnzimmer, Schlafzimmer, Eßzimmer, schloß die Fenstertür, machte ein paar kleine Schritte, setzte sich an der gegenüberliegenden Wand, zog die Schuhe aus.

Von unten hörte er die Löffel im Suppenteller. Der Oberarzt trat ein und sagte zu dem alten, kurzen Mann: »Es tut mir leid, Sie müssen das Krankenhaus noch heute verlassen. Die Krankenkasse hat die Zahlungen eingestellt. Die Schwester wird Ihnen die Kleider bringen.«

Das Zimmer ist quadratisch. Innerhalb der Wohnhausanlage gibt es ein Wasserbecken mit Goldfischen. Goldfische atmen nicht durch Lungen. Wenn sie tot sind, schwimmen sie mit dem Bauch nach oben. Dann wissen die Leute, daß sie tot sind.

Der Hauswart fischt sie ohne Angel aus dem Becken. Er wohnt Stiege 5, Tür 1. Ich sollte gesund leben. Er sah sich im Schnellzug.

Der Zug fuhr dem Gebirge entgegen. Er sammelte seine Gedanken. Ich sollte nicht rauchen. Der Zug hielt. Ich sollte nicht trinken. Der Zug fuhr ab. Ich sollte nicht so spät zu Bett gehen. Der Zug hielt. Ich sollte eine Freundin haben.
Der Zug fuhr ab. Ich sollte Sport betreiben. Der Zug hielt. Ich sollte heiraten. Der Zug fuhr ab. Ich sollte spazierengehen. Der Zug hielt. Ich sollte eine Familie gründen. Der Zug fuhr ab. Ich sollte mir einen besseren Ofen kaufen. Der Zug hielt. Ich sollte ein, zwei Kinder haben. Der Zug fuhr ab. Brunn am Gebirge liegt nicht am Gebirge.

Die Röntgen-Gasse ist kurz. Die Alfons-Petzold-Gasse ist noch kürzer. Der Zug traf ohne Verspätung ein. »Wir haben Sie schon erwartet«, sagte einer und nahm ihm den Koffer ab. Das nächste Begräbnis war wieder mit Musik.

Der Starkstromtechniker sagte zu seiner Frau: »Summ nicht immer diese blöde Melodie!« »Das ist nur die erste Zeit«, antwortete sie. Im Schrägaufzug drückte der eine einen Hebel nach unten, der Schrägaufzug fuhr schräg nach oben. Der Besitzer des Hundes, der in den Brunnenschacht gefallen war, kam mit seiner

Klage bei Gericht nicht durch. Daher verzichtete er auch auf die Knochen. Sie wurden in einen Mülleimer gelegt.

Die Musik war unerträglich. Der eine und er stiegen aus und kamen zu einem großen, weißen Haus. Der eine machte die Tür auf, er trat ein.

Er war da. Der Chefarzt sprach zu den Patienten: »Die Tuberkulose ist im Aussterben. (Ein Patient hustete.) Sie ist keine Volkskrankheit mehr. (Ein zweiter Patient hustete.) Kaum jemand stirbt heute mehr daran. (Der dritte Patient hustete.) Haben Sie Vertrauen zu uns. (Der vierte Patient hustete.) Leichte Fälle heilen wir durch gute Kost und viel Ruhe (Der fünfte Patient hustete.), schwierigere Fälle durch die Pneumothoraxbehandlung (Der sechste Patient hustete.) oder die endgültige (Der siebente Patient hustete.) Stillegung (Der vierte Patient hustete.) eines Lungenflügels (Der achte Patient hustete.) auf dem Wege der Operation. (Der dritte Patient hustete.) Sie brauchen keine Angst zu (Der sechste Patient hustete.) haben. (Der neunte Patient hustete.), wir haben viel Erfahrung (Der Chefarzt hustete.) und viel Übung (Der Chefarzt hustete).«

Sir Alexander Fleming, geboren 1881 und gestorben 1955, entdeckte 1928 das Penicillin und erhielt 1945 den Nobelpreis. Über der Burg Liechtenstein hing eine große Wolke. Einer nach dem anderen warf eine Schaufel Erde ins Grab. Die Frau des Arztes, der seine Blumen mit dem Wasser aus dem Bauch goß, ließ sich scheiden. Jetzt lebt sie mit einem Arzt, der jeden Freitag einmal eine Hand, einmal einen Fuß, einmal einen Penis nach Hause bringt. Da er aber kein

Dieb ist, trägt er die Dinge am darauffolgenden Montag wieder ins Krankenhaus. Er fährt einen Jaguar.

»Die Operation muß sein«, sagte Emil, »ich will endlich nach Hause.« Emil gab ihm die Hand, drehte sich dann um und ging den langen Gang langsam hinunter: groß, breitschultrig, kräftig, doch mit gesenktem Kopf. Der Weg war so weit, daß Emil immer kleiner wurde, bis er zuletzt ganz klein in seinem Zimmer verschwand. Diesmal standen viele Menschen um das Grab. Auch waren mindestens zwei Schulklassen darunter. Wahrscheinlich war der Tote Lehrer gewesen.
Sie ließen den Sarg hinunter. Am nächsten Tag schnitten sie zu. Es war ein interessanter Fall für die Ärzte. Emil betrat den Operationssaal, mußte sich setzen und lange ausharren.

Die Trauergäste zerstreuten sich. Die Kinder weinten laut. Woche für Woche und Monat für Monat lag er viele Stunden am Tag auf dem Bock. Der Bock war ein Holzgestell mit Schaumstoffbelag. Der Bock stand mit vielen anderen Böcken auf einer großen Terrasse. Der Starkstromtechniker sagte zu seiner Frau: »Jetzt stehst du schon wieder beim Fenster!« »Das ist nur die erste Zeit«, antwortete sie. Die Terrasse war eine Liegeterrasse.

Ich sollte gesund leben. Er lag da und blickte hinüber zu den Bergen. Sie waren fern und weiß. Er fror nicht. Er war satt und gut zugedeckt.

Ein großes Leinendach schützte ihn vor den gefährlichen Strahlen der Sonne. Einen Stock höher war die Terrasse der Frauen. (Bei den Naturvölkern obliegt der Frau die Fürsorge für die Kinder; ihre sonstige Stellung ist unterschiedlich.) Die mußten auch auf dem Bock liegen und ruhen. Auch sie starrten hinüber zu den weißen Bergen und hinein in die Täler, die sie nicht erreichen konnten. (Die germanische Frau unterstand der Munt des Mannes, der die Pflicht hatte, sie zu unterhalten, zu schützen und gerichtlich zu vertreten.) Auch die Frauen waren satt und hatten es unter der Decke warm. (Im alten Griechenland war die Frau zwar politisch rechtlos und vom geistigen Leben ausgeschlossen, hatte aber im Hause die volle Gewalt.) Ihnen und den Männern im Unterstock blieben nur Finger und Hand. So wollte es die Verwaltung. Daher war die einzige Stunde am Tag, in der die Insassen der Heilstätte vor das große Tor durften, für Männer und Frauen zu getrennten Zeiten angesetzt. Keine Frau sollte in Versuchung geführt werden, den Mann einer anderen zu begehren. (Das Christentum änderte zunächst wenig an der Stellung der Frau, belastet von der biblischen Überlieferung, daß durch Eva das Unglück in die Welt gekommen ist.)

Es war schwierig auszubrechen. Du mußtest den Bock Bock sein lassen und über eine Mauer klettern. Du konntest dich mit der oder der vereinen, winters auf einer nassen Bank, nachdem du mit der heißen Hand den Schnee weggeschoben hattest, sommers war es leichter. Doch immer mußte es schnell gehen. Es blieb nicht viel Zeit bis zur nächsten Visite.

Manchmal kam der Mann der oder der Frau zu Besuch.
Endlich kommst du.
Ja.

Ich bin so glücklich, daß du da bist.
Du siehst gut aus.
Wie geht es den Kindern?
Sie kommen gelaufen.
Du hast sie mitgebracht. Wie schön.
Ich wußte, du würdest dich darüber freuen.
Bleibst du über Nacht?
Ja, im Gasthof unten beim Bahnhof.
Ich bin so glücklich, daß ihr da seid.
Du wirst bald nach Hause kommen.
Ja.
(Erst nach 1850 setzte die Frauenbewegung allmählich die volle Gleichberechtigung durch.) Am nächsten Tag fuhr der Mann mit den Kindern ab. Das nächste Begräbnis war ohne Musik. Ich sollte nicht rauchen. »Summ nicht immer diese blöde Melodie!« sagte der Starkstromtechniker. Die Frau wartete, wie vereinbart, auf den Mauerspringer. Emil starb.

Nicht in der Heilstätte. Dort starb niemals jemand. Wenn es soweit war, kamen sie vom nahen Krankenhaus. Dort bekam auch Emil ein weißes Zimmer und einen Priester. Wenige Leute standen um das Grab.

In der Heilstätte wurde nur geheilt. Das war gut so, denn ein Kranker darf die Hoffnung nie aufgeben. Einer nach dem anderen warf eine Schaufel Erde auf den Sarg. Ich sollte ein, zwei Kinder haben. Ich sollte mir einen Fernseher kaufen. Als er sich die Socken auszog, verspürte er in der Gegend des Blinddarms ein leichtes Ziehen. Das nächste Begräbnis war wieder mit Musik.

Nachsatz.
Während ich die Melodie mitsumme, fällt mir ein,

den Satz ›Der Arzt vor dem Röntgenschirm nahm die Brille ab, sah ihn ernst an und sagte: »Danke, alles in Ordnung!«‹ irgendwo in meinem Text ausgelassen zu haben. Auch Sie sollten gesund leben.

Männer und Frauen – fragmentisch

1

Schichtwechsel. Fabriksirenen. Regen.

Oder:

Regen. Fabriksirenen. Schichtwechsel.

Oder:

Die Reihenfolge ist unwichtig.

Er ist rein zufällig, weil er – wie fast immer, so gerade auch jetzt – selbst mit sich selbst nichts anzufangen weiß, an eines seiner Fenster getreten und hat, dort angelangt, den Vorhang zur Seite geschoben.

Oder:

»Scheißregen«, sagt er, obgleich er sein Haus schon lange nicht mehr verlassen hat und nicht beabsichtigt, es jemals nochmals oder wieder zu verlassen. Kranksein und Sterben mit eingeschlossen.

Oder:

»Scheißfabrik mit Scheißsirenen«, sagt er. Jedesmal, wenn er »Scheiß« sagt, kränkt sich seine Frau.

»Bitte«, sagt sie und häkelt weiter.
»Die kleinen Dinge sind es, die unser Leben verschönern«, sagt er und zieht den Vorhang wieder vor.

2

In seiner Kindheit hatte er gern an den Fingernägeln gekaut, mit Hammer und Schraubenzieher gespielt, Fenster eingeschlagen und Möbel zerlegt, aus Holz und Glas phantasievolle Türme gebaut, in Töpfe gebrüllt, mit Rasierklingen Nacktschnecken zerschnitten, Wände mit Kot und Erde beschmiert, Käfer gesammelt und Blumen gepreßt, dem Hund des Nachbarn ins Maul gepißt und ungern vier Klassen der Volksschule und sonntags die heilige Messe besucht.

Nur einen einzigen Fehler hatte er.

Von Geburt an war sein linkes Bein um ganze drei Zentimeter kürzer als sein rechtes Bein. Leute, die ihn vom Gehen und Stehen oder nur vom Gehen oder nur vom Stehen kannten, wußten von diesem Fehler. Andere, die ihn nur vom Sitzen (und Liegen?) kannten, bewunderten seine schönen, blauen Augen.

In seiner Jugend hatte er gern Fingernägel gebissen, mit Hammer und Schraubenzieher gewerkt, Fenster eingeschlagen und Äpfel gestohlen (nur Äpfel?), mit Rasierklingen Fahrradschläuche zerschnitten, öffentliche Wände mit unfrommen Zeichen verziert und ungern vier Klassen der Hauptschule und sonntags die heilige Messe besucht.
Dennoch war er bei Gott, an den er nicht glaubte, kein Sonderling oder gar Einzelgänger. Im Gegenteil.

Bei schlechtem Wetter verbrachte er seine Tage auf dem Bahnhof oder im Obdachlosenheim, bei gutem Wetter im Park oder am Tümpel vor der Stadt. Die Fahrpläne der Fernzüge hatte er im Kopf. Schwimmen konnte er nicht. Das Obdachlosenheim suchte er höchst selten auf. Die anderen Bettgeher waren viel älter als er, und die Art, in der sie Nacht für Nacht onanierten, gefiel ihm nicht.

In seinem dreiundzwanzigsten Lebensjahr besaß er nichts als sein aktives und passives Wahlrecht. In geheimer und freier Wahl gab er einen leeren Stimmzettel ab. Er selbst wurde nie gewählt.

Die Sonne schien. Die Luft roch. Die Vögel flogen von Baum zu Baum. Es war Sommer.
Er lag an seinem Tümpel.

Im Tümpel war Wasser. Im Wasser waren Fische. In den Fischen waren wieder Fische. Aber über dem Tümpel war die Sonne. Über dem Tümpel war der Himmel. Himmelblau. Mit kleinen, weißen Wolken. Die Wassertemperatur war ungemessen gemessen relativ angenehm und daher einladend.

Er ging in sein Wasser. Da er aber nicht schwimmen konnte, ging er sogleich unter.

Die Vögel flogen nicht mehr von Baum zu Baum. Die Luft roch nicht mehr. Die Sonne schien nicht mehr. Wasser. Nur Wasser. War es Leichtsinn? Unwiderstehlicher innerer Zwang? Oder Selbstmordabsicht?

Sie rettete ihn, doch er sprach niemals davon.

3

Sie hatte nur wenige graue Haare, obgleich

a) sie sich damals schon in ihrem achtundfünfzigsten Lebensjahr befand

(pardon tatsächl. Lebensalter		58
abzügl. Galanteriejahre		— 10
	macht	48
Abzüge f. a) gute Beine		— 5
b) feste Brust		— 5
c) glatte Haut		— 3
	macht	35
10 % Rabatt		— 3,5
	macht	31,5
3 % Kassaskonto		— 1
	macht	30,5

– nur das Gesicht war alt, wie das bei jungen Menschen manchmal so ist)

und

b) die Fleischpreise und damit die Friseurlöhne sprunghaft angestiegen waren.

4

»Häßliches Entlein, häßliches Entlein«, hatten die anderen Kinder gerufen.

Sie war ein häßliches Entlein gewesen.

Bis sich das eines schönen Tages änderte. In diese Zeit fällt die Errichtung der ersten Fabrik.

Die Arbeiter arbeiteten.

Sobald sie das Haus verließ, machten sich einige frei,

sprachen sie an und pfiffen ihr nach. Aber sie war noch nicht soweit.

»Ein arrogantes Geschöpf«, sagten die anderen Mädchen.
»Hör nicht hin«, sagte der Vater, nahm sie auf den Schoß und tröstete sie, wenn sie traurig war.
»Paps«, sagte sie und küßte ihren Vater.
»Einen großen Wortschatz hat sie nicht«, meinte die Mutter.
»Unser Kind ist schon goldrichtig«.
»Paps«, sagte sie und gab dem Vater noch einen Kuß.
»Einen großen Wortschatz hat sie nicht«, meinte die Mutter.
Gegen Mitternacht ging die Familie zu Bett.

»Das war heute wieder ein schöner Tag«, sagte der Vater.
»Einen großen Wortschatz hat sie nicht«, meinte die Mutter.
»Unser Kind ist schon goldrichtig.«

Die zweite, die dritte und zuletzt die vierte Fabrik wurden errichtet.

5

»Frau«, sagte der Vater.
»Mann«, erwiderte die Mutter.
»Ach, Frau«, sagte der Vater.
»Ach, Mann«, erwiderte die Mutter, »nimm es nicht so schwer«.
»Unsere Tochter wird groß.«

»Deine Hose ist schon ganz verschlissen. Zu Weihnachten bekommst du eine neue.«
»Ach, Frau«, sagte der Vater.
»Ach, Mann«, erwiderte die Mutter, »nimm es nicht so schwer.«
»Ich glaube, es wird bald Hochzeit geben«, sagte der Vater.
»Hat sie schon einen?« fragte die Mutter.
»Einen Sohn? Wie soll ich das wissen?«
»Wieso einen Sohn? Sie bekommt doch kein Kind?«
»Ich weiß nicht«, sagte der Vater.
»Mann«, sagte die Mutter, »da sei Gott vor.«
»Ich weiß nicht«, sagte der Vater, »ich weiß nicht.«
»Mein Gott, mein Gott«, erwiderte die Mutter.

Eines Tages sah sie ihn.
»Diesen oder keinen.«
Es war ein schöner Tag.
Ein Arbeiter sprach sie an. Jetzt war sie soweit.

»Diese Muskeln. Diese Kraft. Schön ist er nicht. Aber stark und gut. Das sieht man ihm gleich an, Paps.«
»Kind, ich bin sprachlos«, erwiderte die Mutter.
»Ich auch«, sagte der Vater.
»Wird er dich auch heiraten, Kind?« fragte die Mutter.
»Bestimmt«, antwortete das Kind.
»Wer ist er?« fragte der Vater.
»Groß ist er. Stark ist er. Welche Wonne zu leben.«
»Einen Sprachschatz hat unsere Tochter«, meinte die Mutter.
»Unser Kind ist schon goldrichtig«, sagte der Vater.
»Wenn er sie nur heiratet«, erwiderte die Mutter.

Als sie ihr das Kind genommen hatten, weinte sie und wurde noch schöner.

6

Eines Tages – eines sehr schönen Tages – sagte ein feiner Herr zu ihr:
»Entschuldigen Sie bitte, gnädiges Fräulein, es ist sonst nicht meine Art, junge Damen auf offener Straße anzusprechen, keineswegs, aber Sie haben mir den Kopf verdreht.«

»Paps«, sagte sie, »Paps.«
Und sie fiel ihrem Vater um den Hals.
»Kind, Kind«, sagte die Mutter, »schon wieder ein Kind?«
»Da sei Gott vor«, sagte das Fraufräulein, »diesmal einen Mann.«
»Einen richtigen Mann?« fragte der Vater.
»Einen richtigen Mann?« fragte die Mutter.
»Einen richtigen Mann«, sagte die Tochter.
»Was ist er?« fragte der Vater.
»Ein richtiger Mann.«
»Jude?« fragte die Mutter.
»Nein, Ingenieur.«

»Mein lieber Herr Schwiegersohn«, sagte der Vater, »nehmen Sie doch bitte Platz.«
»Ist er nicht wunderbar?« fragte die Tochter die Mutter.
»Ja, mein Kind«, sagte die Mutter.
»Ist er nicht wunderbar?« fragte die Tochter den Vater.
»Goldrichtig«, sagte der Vater.

»Darf ich Ihnen mit einer Kleinigkeit aufwarten?« fragte die Mutter den Schwiegersohn.
»Aber bitte«, sagte der Schwiegersohn, »danke.«

»Sie sind also Ingenieur, mein lieber Herr Schwiegersohn«, sagte der Vater, »und was machen Sie da?«
»Was ich da mache? Ich arbeite«, lachte der Schwiegersohn, »ich baue Häuser, Brücken, Kanäle, Spitäler, rein alles, was Sie brauchen, mein lieber Schwiegervater.« Dabei lehnte er sich zurück, zog seine goldene Taschenuhr und sah nach der Zeit.

»Sie wollen uns doch nicht schon wieder verlassen«, sagte die Mutter.
»Halt unseren lieben Schwiegersohn nicht auf, wenn die Arbeit ihn ruft.«
»So viele Baustellen«, sagte die Mutter voll Bewunderung.
»Wieso Baustellen?« fragte der Schwiegersohn.
»Häuser, Brücken, Kanäle, Spitäler, seien Sie nur nicht zu bescheiden, mein lieber Schwiegersohn. Alles, was du brauchst, meine Tochter«, sagte der Vater.
»Ich meine das so«, erwiderte der Schwiegersohn, »ich kann rein alles, wenn ich nur will.«

7

Sofort nach der Hochzeit begann er mit dem Umbau des Hauses. Der Umbau nahm drei Jahre in Anspruch.
Ein Jahr nach der Hochzeit starb der Schwiegervater.
Zwei Jahre nach der Hochzeit starb die Schwiegermutter.
Drei Jahre nach der Hochzeit starb der Schwiegersohn.
Die Witwe ging längere Zeit in Schwarz.

8

»Scheiße«, sagt er.
»Bitte«, sagt sie.

9

Die große Standuhr schlägt siebenmal. Sie hat ein großes, rundes Zifferblatt und zwei Zeiger. Es ist neunzehn Uhr.
»Es ist sieben Uhr«, sagt sie.
Jetzt könnte er zum Beispiel ja sagen.

10

Um viertel acht Uhr sagt sie, ohne zu lachen: »Es ist schon halb acht.«
Er lacht auch nicht.

11

Bald wird es ganz dunkel sein – draußen und erst recht im Zimmer.
Warum spricht er nicht, wo er doch eine so angenehme Stimme hat?

12

»Warum sprichst du nicht?« fragt sie.
»Du denkst wohl an eine andere«, sagt sie.
»Hast du mich überhaupt jemals geliebt?« fragt sie.

Die Standuhr schlägt neunmal.

13

»Kusch«, brüllt er. Sein Gesicht ist ganz dunkel wegen der Dunkelheit draußen und erst recht im Zimmer.
»Endlich sprichst du wieder«, sagt sie.

Befreite Hände

Mit seinen Händen war etwas geschehen, wofür es keine Erklärung gibt.
Die Leute sahen ihn so seltsam an, wenn er aß. Aber er hielt den Löffel nicht anders als sie.
Auch mit Messer und Gabel hantierte er nicht anders als andere.

Er wußte, was sich verändert hatte. Gleichsam über Nacht waren seine zehn kleinen Monde in Verlust geraten.
Er wußte nicht, ob er sie *verloren* hatte, wahrscheinlich waren sie ihm *gestohlen* worden.
Aber das würde ihm niemand glauben.

Als er es bemerkte, lachte er nur.

Später, als er zu Hause und allein war, sah er seine Finger lange an, holte aus dem Bad das Maniküzeug und suchte nach den Monden.
Er stieß die Nagelhaut weiter und weiter zurück, schnitt sie mit der Hautschere weg, stieß weiter und schnitt bereits ins Fleisch, tupfte das Blut mit einem Sepsostift ab und wußte nun genau: Die Monde sind nicht mehr da.
Er bemühte sich, eine Erklärung zu finden.
Er mußte eine Erklärung finden.
Er konnte die Angelegenheit nicht auf sich beruhen lassen.
Vor allem mußte er versuchen, sich zu erinnern.

Sein Gedächtnis hatte stark nachgelassen. Früher einmal hatte er genau sagen können, was er vor zwei oder drei Tagen getan hatte. Jetzt stand er auf, um in die Küche zu gehen. Aber kaum stand er, wußte er nicht mehr, warum er aufgestanden war.

Er stand irgendwo im Raum, sah Licht und Dunkel, konnte Licht und Dunkel auch genau unterscheiden.

Die Gegenstände um ihn herum nahm er eindeutig wahr. Doch kaum schloß er die Augen, verstellten sich die Gegenstände innerhalb des Raums.

Es mußte an den *Dingen* liegen;
er hatte sich weder bewegt, noch sonstwie verändert.

Was ihm blieb, war, sich aus dem Fenster zu stürzen. Er ging zum Fenster, öffnete es, und der Nachbar trat ebenfalls aus der Wohnung. Sie grüßten einander kurz, aber freundlich.
Er hatte statt des Fensters die Wohnungstür geöffnet.

Dennoch war er bei klarem Verstand. Das wußte er. Aber wie ein Rennläufer mit Zahnschmerzen keinen Sieg herausholen kann, irritierte ihn der Verlust der Monde auf eine Weise, die kaum zu beschreiben ist.

Dennoch war er bei klarem Verstand.

Er war ein Mensch ohne Bedeutung; das wußte er. Aber sein Pulsschlag und seine Fähigkeiten, nämlich zu atmen, zu nicken, sich zu setzen und wieder aufzustehen, zu rauchen, zu trinken, die Sonne zu sehen und sich von einem Ort zu einem anderen zu bewegen, machten ihm das Leben lebenswert.

Wie sollte er sich noch an etwas erinnern können, jetzt, da er im Raum stand und die Dinge sich um ihn drehten, ihn ganz offensichtlich zum Narren hielten.

Aber er mußte es wenigstens versuchen.

Immer mehr Menschen strömten auf den großen Platz. Im Gedränge verlor er seine Freundin. Er wollte sie suchen, kam aber nicht weiter.

»Entschuldigen Sie bitte«, sagte er, »ich muß hier weiter. Ich habe nämlich meine Freundin verloren.«
Einige Männer stemmten ihn in die Höhe und warfen ihn über die Köpfe der anderen.

Immer neue Hände schlugen nach ihm, stießen ihn weiter. Anfangs maß er sich eine besondere Bedeutung bei: Er fühlte die Aufmerksamkeit aller auf sich gerichtet. Bis er den Irrtum erkannte.

Es gelang ihm, über den Rücken einer alten Frau zu Boden zu gleiten.
Ein Mann hielt ihn fest, faßte nach seinen Händen, zerrte sie unter seine scharfgeschliffenen Gläser und drückte sie so heftig, daß er aufbrüllen mußte.

Dann warf er ihn wieder in die Höhe.
Andere stießen ihn weiter.
Die Schmerzen in Händen und Bauch wurden unerträglich. Er fiel in Ohnmacht.

Er erwachte in der Mitte des großen, nun leeren Platzes.

Er konnte sich nur sehr undeutlich erinnern.
Wie einer, der fast alles vergessen hat.

Es war gestern abend gewesen.

Ein sehr warmer Abend, wie es ihn im Freien nur im Sommer gibt.

Er hatte seine Freundin verloren.
Sie war so schön gewesen.

Es tat ihm leid.

Aber er hatte sich bemüht, sie zu finden.
Sie war so schön gewesen.

Er richtete sich auf; er stand auf; er ging.
Er machte ein paar Schritte.
Dann mehr: Er hob die Arme und ließ sie fallen.
Er war heil.

Erst vor einem halben Jahr hatte er einen Erste-Hilfe-Kurs mit Erfolg abgeschlossen.
Rettungsschwimmer war er schon länger.
Er bedauerte, noch nie Gelegenheit gehabt zu haben, jemandem das Leben zu retten.
Seine Kleider waren schmutzig und stellenweise zerrissen. Er wollte nach Hause, ein Bad nehmen, dann schlafen und dann mit klarem Kopf über alles nachdenken.

Der Mann, der ihm die Hände so heftig gedrückt hatte, lehnte an einer Hausmauer.

Er konnte sich nicht erinnern, ihm vor dieser Nacht schon einmal begegnet zu sein.
Der Mann war gegen fünfzig, klein und stämmig. Er hatte eine lange, gebogene Nase und scharfgeschliffene Gläser.

Er sah an dem Mann vorbei und beeilte sich.
Von der nächsten Telefonzelle aus rief er seine Freundin an. Sie hatte geschlafen und war verärgert. Er

wollte ihr alles erklären, hatte aber keine zweite Münze.

Teils ging er, teils lief er zur Stadtbahn.
Irgend jemand pfiff.
Er blieb stehen; er keuchte.

Er drehte sich um. Der Mann mit den scharfgeschliffenen Gläsern trat in ein Haus. ›Pariser Seidenwaren‹ stand über dem Eingang.
Hier war auch der Dachverband der Philatelisten.
Er wandte sich um. Die Männer, die ihn gestern über die Menschenmenge geworfen hatten, standen jetzt vor ihm. Einer – er war blond und hatte blaue Augen – schlug ihn nieder.

Wieder verlor er das Bewußtsein.

Als er erwachte, war der Schmerz in seinen Händen beinahe unerträglich.
Der Mann mit den scharfgeschliffenen Gläsern kniete neben ihm.

»Man hat Ihnen offensichtlich wehgetan«, sagte er.
»Sie kennen diese Leute.«
»Sie irren, ich habe sie noch nie gesehen.«
»Sie lügen. Sie haben sie auf mich gehetzt. Ich weiß das. Was wollen Sie von mir?«
»Nichts mehr, mein Freund, nichts mehr.«
»Ich bin nicht Ihr Freund.«
»Es wäre aber besser für Sie, glauben Sie mir«, sagte der Mann und griff wieder nach seinen Händen.
»Lassen Sie meine Hände. Verschwinden Sie. Lassen Sie mich endlich in Ruhe.«
»So spucken Sie doch nicht.«

»Ich gehe zur Polizei, darauf können Sie sich verlassen.«
»*Ich* würde das an Ihrer Stelle nicht tun.«
Der Mann stand auf und ging.

Die Schmerzen lassen nicht nach.

Er läuft zur Stadtbahn, stürzt in das Gebäude, erkennt wieder den Mann von vorhin.
Er kauft eine Karte, eilt durch die Sperre und hinauf zum Bahnsteig.
Ein Zug fährt ab. Er springt auf. Bleibt auf der Plattform. Öffnet ein Fenster.
Links sitzt eine Frau, mit dem Rücken zu ihm.
Dann ein Mann mit einem Fotoapparat.
Dann eine Frau mit blondem Haar.
Dann ein Kind mit einem Ball, den es fallenläßt.
»Mama«, ruft das Kind und greift nach den Händen der Mutter.
Die Mutter zieht die Hände zurück und sagt:
»Heb lieber den Ball auf.«
Dann ein Mädchen mit schwarzem Haar. Etwa 18.
Hinten in der Ecke der Mann mit den scharfgeschliffenen Gläsern.

Das Mädchen hat schöne Hände.
Die Nägel sind lang und spitz und rot vom Lack.

Der Mann mit dem Fotoapparat hat aus seinen Händen Fäuste gemacht.

Das Kind will die Hände der Mutter;
die Mutter weist es zurück.

Der Zug verläßt die Station.

Er springt ab und läuft die Stiege zur Straße hinunter.
Im Park setzt er sich auf eine Bank.

Denken hat keinen Sinn, denkt er.
Er fühlt sich etwas besser.

Ein Mann zwischen dreißig und vierzig kommt mit einer Frau zwischen zwanzig und dreißig von rechts. Der Mann hatte eine große linke Hand. Bevor er an der Bank vorbeikam, steckte er sie in die Tasche. Später – beide waren noch zu sehen – nahm er sie wieder heraus.

Unweit spielten zwei Kinder: ein blonder Bub in einer Hose und ein blondes Mädchen in einem Kleid.
Sie lachten fröhlich.

Er beobachtete die Kinder und ihr Spiel.
Er kannte es nicht.
Er winkte die Kinder heran.

Sie stehen vor ihm:
klein und hübsch.
»Zeigt mir eure Hände.«

Sie zeigten ihm die Hände, die Innenseite nach oben.
»Zeigt mir eure Nägel.«
Sie zeigten ihm die Zunge und liefen davon.

Ein Polizist sieht alles – also auch dies. Er geht auf die Bank zu und zeigt seine Hände. Er trägt Handschuhe.

Er ging in ein Gasthaus, weil er Hunger hatte, setzte sich und bestellte.

An seinem Tisch saß ein Mann ohne Zähne.
Zum Sitzen braucht keiner Zähne.
Er aß Suppe.
Dann ein Mann mit einem gelben Sakko.
Mit dunklen, runden Knöpfen.
Er aß Rindfleisch mit Linsen.

Dann der Mann mit den scharfgeschliffenen Gläsern.
Und der langen, gebogenen Nase.
Er aß Pudding.

Keiner sprach ein Wort.
(Weder er, noch der eine, noch der andere, noch er.)

Der Mann mit der langen, gebogenen Nase erhob sich und verließ das Gasthaus.

Dann ein Kind mit einem Ball.

Die Hände schmerzten noch immer.
Eine Frau ging vorüber.
Auch der Bauch schmerzte noch.
Sie hatte rotes Haar und Sommersprossen.
Er wollte zur Polizei.

Der Mann mit den scharfgeschliffenen Gläsern kommt zurück: »Ich würde das an Ihrer Stelle nicht tun, aber bitte.«
Er verläßt das Lokal.

Auch er verließ das Lokal,
eilte durch die Stadt,
achtete nicht auf den Verkehr,
überquerte die Fahrbahn zweimal bei Rot (noch dazu an derselben Stelle),

lief zweimal durch ein und dasselbe Durchhaus (›Mannheimer Brot‹),
trank in einem Espresso ein eiskaltes Cola und flüchtete in das Kino nebenan.
Die Wochenschau brachte einen Bericht über Israel und die Verhaftung eines SS-Mannes. Er hatte mehr als zwanzig Jahre als U-Boot und Delikatessenhändler gelebt.

Von den Händen des SS-Mannes und denen der Israelis wurden keine Nahaufnahmen gezeigt.
Neben ihm sitzt eine junge Frau.

Er betrachtet sie.
Mann neben Frau.

Sie beachtet es nicht.

Sie betrachtet ihn.
Frau neben Mann.

Er beachtet es und sieht sie an.

Sie lächelt.
Mann und Frau.

Es wird viel geschossen.
Sein Blick sucht ihre Hände. Die Nägel sind lang und rot. Lack.
Nach dem Kino ersuchte ihn ein Mann um Feuer. Er hatte keins.

Er ging der Frau nach. Als er sie einholte, fiel ihm ein, daß es der Mann mit der großen, gebogenen Nase gewesen war.

Die Frau erschrak, erkannte ihn aber wieder.
Ja, sie wolle mit ihm gehen.
Sie trug ein Strickkostüm.

Sie aßen und tranken.
Sie nahm seine Hände und betrachtete die Nägel.
»Deine Nägel haben keine Monde«, sagte sie.
Er lachte.

Das war seine Erklärung; doch er wußte, niemand würde sie glauben.

Er setzt sich an seinen Tisch, um zu schreiben. Vielleicht – er kann sich nicht mehr erinnern, warum er sich an den Tisch gesetzt hat – –

Der Kugelschreiber in seiner Hand wächst. Sehr schnell.
Die Hand stößt das Ding von sich.
Er vergräbt die Hände in den Hosentaschen.

Der Kugelschreiber liegt einmal links, einmal rechts, einmal in der Mitte, einmal knapp an der Tischkante. Jedesmal, wenn er die Augen schließt, verändert das Ding seine Lage.
Aber es hat immer dieselbe Größe: es wird nicht größer, es wird nicht kleiner, es ist wie es immer war.

Die Hände in den Taschen werden kalt.
Er zieht sie ans Licht.
Sie sind jetzt ganz klein.
Die Finger sind nicht größer als Warzen.

Er will schreien.
Er will aufstehen.

Er will gehen.
Er will ausharren.

Es war ihm, als würde sein Herz zu brennen beginnen.
Es schmerzte nicht.
Im Gegenteil: Es tat wohl.

Doch niemand würde ihm glauben.

Kleine Liturgie

Der Priester steht
am Altar, beugt sich tief und betet: O Gott, ich habe gesündigt, nimm meine Sünden von mir.

Der Vater treibt
den Sohn vor sich her: Du wirst noch alles im Leben verschlafen. Knie nieder und mach ein Kreuz, aber anständig.

Eine Frau zu einer andern: Ein Vater, der seinen Sohn noch Mores lehrt.

Ein Text, in den ich eingreifen muß, weil die Geschichte vom Vater und vom Sohn zu den schlechtesten Geschichten zählt, die das Leben selbst geschrieben hat.

Der Sohn denkt:
Verdammt, wie mich die Nase beißt.

Bohr nicht in der Nase, Sohn, du bist in einer Kirche.

Ein Vater, der seinen Sohn noch Mores lehrt.

Fast auf der ganzen Welt gibt es Kirchen. Auf Bächen, Flüssen, Meeren und auf dem Nordpol gibt es zum Beispiel keine. Doch beten kann einer überall.
Der Vater sitzt.
Der Knabe steht.
Die Nase beißt.
Die Zeit vergeht.
In der Bibel heißt es ungefähr: Wenn dich dein Auge beißt, reiß es aus. Der Sohn kennt die Bibel nicht. Und würde er sie kennen, mein Gott, was steht dort von der Nase?

Der Vater denkt:
Deine Mutter würde sich im Grab umdrehen.

Würde sie das wirklich tun? Ist sie nicht schon zu lange tot?

Der Sohn denkt auch:
Wenn mir mein Freund den roten Kleinbahnwaggon nicht zurückgibt, zerschlage ich ihm seine Lokomotive.

Der Vater hat keine Frau, der Sohn wird bald keinen Freund mehr haben. Wie glücklich sind viele Kinder, wenn sie mit Bausteinen spielen dürfen?

Der Vater schlägt
dem Sohn das Gebetbuch auf: Lies, Sohn.

Der Sohn liest:
Lieber Gott, hab auch Erbarmen mit mir und hilf mir. Wenn mir mein Freund den roten Kleinbahnwaggon nicht zurückgibt, zerschlage ich ihm seine Lokomotive. Freudig spreche ich auch mit den heiligen Engeln: Ehre sei Gott in der Höhe und Friede den Menschen auf Erden, die eines guten Willens sind.

Anfangs waren die Menschen über die Erfindung der Eisenbahn nicht froh.

Es ist schön, mit der Eisenbahn zu fahren, es wäre denn, dein Zug verunglückt.
Aber nichts brauchen die Menschen mehr als Gott in der Höhe und Frieden auf Erden.

Wie schön, am Sonntag durch einen Nadelwald zu gehen.

Der Vater hält
die Augen geschlossen und denkt:
Ich muß meinem Sohn die Mutter ersetzen.

Der Sohn denkt
nicht mehr an den roten Kleinbahnwaggon:
Mir tun die Füße weh. Warum muß ich immer stehen?

Der Priester geht
an die rechte Seite.

Der Vater öffnet
die Augen:
Schlaf nicht, blätter lieber um.

Der Sohn blättert
um: Sei gütig gegen uns, o Herr. Hilf uns, fromm und rein auf Erden zu leben, daß wir in den Himmel kommen.

Der Priester legt
die Hände auf das Buch. Er liest die Epistel. Das ist etwas aus einem Apostelbrief. In solch einem Brief steht: Ihr Kinder, folget euren Eltern; denn so ist es recht. Jeder bekommt seinen Lohn für das Gute, das er getan hat.
Darin sind sich alle Religionen einig. Wichtig ist nur, daß es die Menschen auch glauben. Der Vater glaubt es.

Bleib stehen. Du sollst stehenbleiben. Verstehst du nicht? Deinem Vater nicht parieren wollen? Ich werde es dir geben.
Vater und Sohn laufen
um den Wohnzimmertisch. Was – auch noch schreien?

Er reißt den Sohn an den Haaren, schlägt ihn mit der Faust ins Gesicht, tritt ihn.

Der Vater scheut
selbst körperliche Anstrengung nicht, dem Sohn die Mutter zu ersetzen.

Ein Vater, der seinen Sohn noch Mores lehrt.

Es gibt viele alleinstehende Frauen. So manche hätte gern wenigstens ein Kind. Kurz nach dem Krieg war das leichter.

Die andere Frau:
Ein frommer Bub. Wie er betet und andächtig in sein Gebetbuch schaut.

Ein Vater, der seinen Sohn noch Mores lehrt.

Ja, ein Vater, der seinen Sohn – wie heißt das?

Noch Mores lehrt.

Ja, ein Vater, der seinen Sohn.
Mein Gott, wer sagt heute noch: Ich lehre dich Mores. Doch es zeigt, daß die andere Frau jünger ist als die eine. Aber vielleicht auch nur weniger gebildet.

Der Vater möchte
gähnen, doch er ist in einer Kirche.

Der Meßdiener trägt
das Buch auf die andere Seite.

In der katholischen Kirche wird das Buch des öfteren

von der einen zur anderen und von der anderen zur einen Seite getragen.
Aber der Meßdiener tut es gern.

Der Priester liest
daraus etwas vom lieben Heiland.

Jedes Mitglied der katholischen Kirche hat die Pflicht, am Sonntag und an kirchlichen Feiertagen die heilige Messe zu besuchen.
Man könnte das mit der Wahlpflicht in manchen Ländern vergleichen.

Der Vater treibt
den Sohn vor sich her: Jetzt sind wir glücklich soweit, selbst unsere Pflicht dem Herrgott gegenüber zu vernachlässigen. Weil der Herr Bub nicht aus den Federn kommt. Was für dunkle Ringe du schon wieder unter den Augen hast. Knie nieder und mach ein Kreuz, aber anständig.
Ein Vater, der seinen Sohn.

Bohr nicht in der Nase, Sohn, du bist in einer Kirche.

Im Leben wiederholt sich vieles. Manches sogar sehr oft. Das hängt mit der Häufigkeit der Wiederholung, aber auch mit dem Leben zusammen.

Deine Mutter würde sich im Grab umdrehen.

Auch Unmögliches wiederholt sich, oder besser: wird wiederholt. Zum Beispiel das obige Beispiel. Dabei hat Beispiel mit Spiel nur dann etwas zu tun, wenn wir sagen: Wir spielen jetzt zum Beispiel Menschärgeredichnicht.

Beispiel läßt sich daher mit Beispiel kaum vergleichen.

Wenn mir mein Freund das Fahrrad nicht leiht, stehle ich ihm ein Ventil.

Auch das Fahrrad hat seine Entwicklung. Vor allem in ebenen Gebieten, zum Beispiel in den Niederlanden, fahren noch heute viele Leute mit dem Fahrrad.

Der Vater schlägt
dem Sohn das Gebetbuch auf.

O mein Jesus, ich glaube alles, was du gesagt und getan hast. Hilf mir, daß ich in den Himmel komme. Wenn mir mein Freund das Fahrrad nicht leiht, stehle ich ihm ein Ventil.

Ein Ventil ohne Fahrrad hat nur geringen Wert. Ein Fahrrad mit nur einem Ventil hat mehr Wert als ein Fahrrad ohne beide Ventile.
Wichtig ist, daß der Sohn seinen Freund noch hat. Hat ihm der Freund den roten Kleinbahnwaggon zurückgegeben? Oder: Ist der Freund, von dem jetzt die Rede ist, ein neuer Freund? Wenn ja: Wie hat er ihn kennengelernt? Was für ein Mensch ist er?

Der Vater hält
die Augen geschlossen.

Der Sohn denkt:
Mir tun die Füße weh.

Der Meßdiener schellt.
Er tut es gern.

Der Priester deckt
den Kelch ab.
Er hält
das goldene Tellerchen mit der Hostie empor.
Beides opfert er
dem himmlischen Vater.
Dieser soll
das Opfer segnen.

Es ist auffallend und sehr bedauerlich, daß der Alkoholismus auch in vielen Ländern des christlichen Abendlandes ständig zunimmt.
Hostien werden vom Bäcker gebacken. In der modernen Kirche darf sich der Gläubige den Leib Jesu bereits eigenhändig in den Mund schieben.

Schlaf nicht, blätter lieber um.
Wieso? Ich habe das noch nicht fertiggelesen.

Der Vater läuft
rot an, doch er ist in einer Kirche.
Mir – dem Vater – widersprechen.
Wart nur, bis wir zu Hause sind.
Ich muß meinem Sohn die Mutter ersetzen.

Lieber himmlischer Vater, nimm diese Opfergabe gnädig auf und segne uns. Leib und Seel, mich ganz und gar, bring ich – Jetzt blättere ich um – Gott zum Opfer dar.

Der Bub hat dunkle Ringe unter den Augen.

Ja, er ist groß geworden.

Der Bub hat dunkle Ringe unter den Augen.

Freilich, aus dem Knaben wird ein Mann.

Der Vater möchte
gähnen.

Der Meßdiener bringt Wasser.
Der Priester wäscht sich die Hände.

Wie dein Sonntag, so dein Sterbetag.

Der Vater treibt
den Sohn vor sich her: Jetzt sind wir noch später dran. Nächstens kommen wir überhaupt erst zum Schluß der Messe. Oder wir schreiben dem lieben Gott eine Ansichtskarte.

Ein Vater, der seinen Sohn noch Mores lehrt.

Ja, ja, ein Vater, der seinen Sohn.

Das Mädchen da vorne – – eine Figur hat die. Und einen zarten, kleinen Hintern – würde mir genau in eine Hand passen.

Bohr nicht – ach nein, er bohrt ja nicht.
Er stiert auf Weiber.

Groß ist er geworden.

Ja, groß ist er geworden.

Der Vater sitzt.
Der Knabe steht.
Die Hode beißt.
Die Zeit vergeht.

Die muß ich ansprechen.
Mein Fall.
Wenn nur der alte Depp nicht da wäre.
Der Vater schlägt
dem Sohn das Gebetbuch auf.

Lieber Gott, du bist so rein, du hassest jedes Sündenfleckchen. O wasche meine Seele, mache mich reiner als Schnee. – Zwingt Grau raus, zwingt Weiß rein. – Dann hast du Freude an deinem – an meinem Opfer.

Wenn du erwachsen bist, kannst du dir eine Frau suchen. Aber jetzt?
Und wenn dich der Satan reitet.

Mein Gott, wer sagt heute noch: Und wenn dich der Satan reitet. Reiten ja – das kommt wieder in Mode.

Du wirst doch nicht den Arm gegen den Vater erheben. Ich werde dich Mores lehren.
Er ist ja ganz verrückt nach dem Mädchen.
Dreht ihr vielleicht noch was an.
Was denkt sich so ein Bursch von ichweißnichtwieviel Jahren denn schon.
Angelacht, bettgemacht.
Kein Verantwortungsgefühl.
Ist ja noch nicht beim Militär gewesen.

Auch heute noch wird das Militär als dritter Bildungsweg anerkannt.
1. Bildungsweg: Das Elternhaus.
2. Bildungsweg: Die Schule.
3. Bildungsweg: Das Militär.
4. Bildungsweg: Die Ehe.

Nur ein guter Soldat kann auch ein guter Vater werden und sein.

Ein frommer junger Mann.

Der junge Mann hat dunkle Ringe unter den Augen.

Ein frommer junger Mann.

Aber er schaut doch auf die Mädchen.

Er ist auch wirklich ein bildhübscher Mensch.

Ich meine:
Er braucht wieder eine Mutter.

Und der Vater eine Frau.

Der Vater möchte
gähnen.

Der Priester steht
in der Mitte des Altars.

Der Meßdiener schellt
zum zweitenmal.
Er tut es gern.

Jetzt opfert sich Jesus dem himmlischen Vater.
Ein Vater, der seinen Sohn.

Wo ist der Sohn?

Wie heißt das?

Mores.

Wo ist Mores?

Der Sohn steht
vor einem Spielautomaten im Prater:
Gewonnen, gewonnen, zwei, drei, sechs Schilling.
Glück im Spiel, Pech in der Liebe.
Verloren, verloren, verloren, verloren, verloren, verloren.
Verdammter Scheißdreck, ich darf nicht alles verlieren.
Pech im Spiel, Glück in der Liebe.
Der Vater sagt, er würde mir eher den Schwanz abschneiden als zulassen, daß ich mit dem Mädchen gehe.
Verloren, verloren, verloren.
Pech im Spiel, Pech in der Liebe.
Verloren, verloren.
Ich muß das Geld dem Vater in die Lade zurücklegen.
Ich muß das Geld dem Vater unbedingt . .
Sonst merkt er es.

Jesus, dir leb ich.
Jesus, dir sterb ich.
Jesus, dein bin ich
im Leben und im Tod.
Der Meßdiener schellt
wieder.
An der Art, wie er es tut, merkt man, daß er es gern tut.

Der Priester verwandelt
den Wein in das heilige Blut Jesu.
Er hat auch mindestens acht Semester lang studiert.

Ich grüße dich, wahres Blut Jesu, ich bete dich an.
Der Vater sitzt
zwischen der einen und der anderen Frau.
Lieber säße er
nur zwischen einer.

Er blickt auf seine linke Nachbarin.
Sie lächelt: Jesus, sei mir gnädig.

Der Vater denkt:
Eine fromme Frau.
Jesus, sei mir barmherzig.

Aber nicht gerade im ersten Frühling.
Jesus, verzeih mir meine Sünden.

Doch noch recht gut erhalten.
Ich danke dir, Herr Jesus Christ, daß du für mich gestorben bist.

Eine dankbare Seele. Ohne die unmögliche Aufmachung wäre sie gar nicht so übel.
Großer Hintern, starke Brust, frommer Geist und Liebeslust schmieden erst das rechte Band für ein Leben Hand in Hand. Herrgott, endlich schlägt die Poesie wieder durch.
Ach, laß dein Blut und deine Pein an mir doch nicht verloren sein.

Adam Jankowski ist Maler und lebt mit Hanna Blöcker in Hamburg.
Ich grüße euch, Adam und Eva.

Die andere ist auch nicht übel, aber zu jung. Am Ende verführt sie mir noch den Sohn.

Wo bleibt er denn nur?
Ach ja, angeblich auf einem Ausflug, angeblich mit einem Freund.
Will in die Abendmesse gehen.
Wer es glaubt, zahlt einen Schilling.

Hans Martin Schilling – eigentlich müßte er D-Mark heißen, weil er ein Deutscher ist – ist ein Kenner der modernen österreichischen Poesie, wohnt in Floridsdorf und ist Pastor.
Ich grüße ihn und seine Frau.

Zurück zum Vater.

Dort steht die Schlampe.
Die habe ich ihm endgültig abgestellt.
Ich muß meinem Sohn die Mutter ersetzen.
Soll er sich doch einen – tut er ja auch.
Der Priester steht
in der Mitte des Altars.

Hans Martin Schilling sagt:
Diese Prosa muß unbedingt in den Band.

Zurück zu der einen Frau.

O mein Jesus, du bist jetzt auf dem Altar.
Du bist der wahre Gott.
Ich glaube an dich.
Er hat die Hand an meinem Knie.
Ich bete dich an.
Jetzt zieht er sie wieder zurück.
Ach, wenn er nur wüßte.
Hilf mir, lieber Heiland.
Jetzt probiert er es wieder.

Helf ich ihm halt.
Bewahr mich vor der Sünde.
Aber ist es denn Sünde, wenn man aufrichtig liebt?
Auch zu leiden bereit ist?
Wenn es sein muß.
Na also.
Ja.
Ja.
Ja.
Hilf auch den armen Seelen im Fegefeuer.

Der Vater denkt:
Na also – das ging ja leichter als ich dachte.

Dinge

Hinter der Gittertür stand der Hund, hinter dem Hund das Haus. Der Hund bellte und stank. Das Schönbrunnergelb war zum Uringelb geworden.

Im Vorgarten wucherte das Unkraut. Ein Kraut sah aus wie das andere. Die Bäume dazwischen sahen genauso aus. Wie ganz großes Unkraut.

Er war ein Weibchen. Fast reinrassig. Sein Vater war von England herübergeflogen.

Im Hausflur standen noch die alten Kisten. Große Vorhängeschlösser schützten viel Kram: alte Kleider, wertlose Bücher, Zeitungen und Christbaumschmuck. Die Kisten gaben dem Haus ein gewisses Ansehen: sie waren ein Stück vom alten Kaisergelb. In der Ecke lehnte die lange Stange mit dem Feuerhaken.

Das Schwalbennest war noch da. Die Tür zum Garten stand wie immer offen. Der Hof war so staubig wie früher. Der Nußbaum trug noch immer keine Früchte. Unter dem Baum saß auf einem wackeligen Sessel und an einem wackeligen Tisch die Abortfrau von der nahen Eisenbahnstation.
»Sie sehen gesund aus«, sagte sie, »Gesundheit ist das Wichtigste.«

Zur Welt war sie 1895 gekommen. Damals stiftete Alfred Nobel, der Erfinder des Dynamits, den Nobelpreis. Der Krieg zwischen Japan und China um den Einfluß in Korea fand durch die Niederlage Chinas und die Abtretung Formosas an Japan ein Ende. Reichskanzler nach Bismarck und General von Caprivi war von 1894 bis 1900 Fürst Chlodwig von Hohenlohe-Schillingsfürst. 1895 war auch das Jahr der Eröffnung des Kaiser-Wilhelm-Kanals, der von nun an Nordsee und Ostsee verbindet. Eine solche Frau ließ sich nicht so ohneweiters beseitigen.

Rechts ging es ins Haus. Der Hund lief voraus. Nichts, fast nichts hatte sich verändert. Die Möbel standen an ihrem falschen Platz. Im Glaskasten standen die Gartenzwerge. Zwischen den Gartenzwergen stand das Osterguckei, ein Zuckerei mit Fenster. Ein Blick durch das Fenster zeigte den Heiland beim Auferstehen.

Das ist mein Ei.
Ich möchte das Ei haben.
Ich möchte es haben, weil es mir gehört.
Es ist mein Ei.
Ich möchte es haben, um es zu zerstören.
Ich hasse es.
Der Hund bellte und stank.

Es gab noch immer den Gesundheitstee mit Zucker und mit Zitrone oder mit Zucker und ohne Zitrone oder ohne Zucker und mit Zitrone oder ohne Zucker und ohne Zitrone. Ganz nach Belieben.

Er betrat das Vorzimmer und den kurzen, engen Gang, der zum Bad führte.
Wieder stand er vor dem alten, dunklen Kasten. Der Gang war finster und kühl. Es gab hier kein Fenster. Er erinnerte sich an seine Kindheit und an die Stunden, die er hier verbracht hatte.

In dem alten, dunklen Kasten hatte er drei bedeutsame Dinge gefunden: ein Stück Seife aus dem Ersten Weltkrieg, einen Säbel des Großvaters und das versilberte erste Paar Schuhe seiner früh verstorbenen Mutter.

Er öffnete den Kasten und starrte hinein. Langsam gewöhnten sich seine Augen an das Dunkel. Wo waren die silbernen Schuhe? Wo war der Säbel? Wo war das Stück Seife? Er wollte, er mußte diese Dinge wieder sehen.

Da stand anderes, ebenfalls alt. Vielleicht so alt wie die Gegenstände, die er suchte. Vielleicht noch älter. Er konnte sich nicht daran erinnern: eine Einlaufgarnitur mit einem halbmeterlangen, brüchig gewordenen Gummischlauch und dem schwarzen Hartgummistück am anderen Ende; zwei metallene Thermosflaschen mit Filzüberzug; in den unteren Fächern Kisten mit Nägeln, Schrauben, Haken und Werkzeug. Die silbernen Schuhe waren nicht mehr da, auch der Säbel und die Seife fehlten.

Die Tür zum Vorzimmer ging auf. Der Hund bellte und stank sich an ihn heran. Er stellte sich neben ihn, bellte wieder, wollte an ihm hochspringen, aber er stieß ihn von sich.

Die Notenstöße waren noch da, die Sang-und-Klang-Bände und die Czerny-Etüden, zwei Hefte Schubert, ein Heft Chopin, mehrere Hefte Bach.

Er starrte in das Dunkel des Kastens und suchte. Er mußte Schuhe, Säbel und Seife finden. Er fand nur das Stück Seife. Der Hund bellte und stank.

Es war nur ein Stück Seife: dunkelfarbig, kantig und viel kleiner, als er es als Kind gesehen hatte.

Der Hund bellte und stank.
Er nahm das Stück Seife an sich, steckte es ein, um es draußen in den nächsten Abfallkübel zu werfen.
Da bellte ihn der Hund von neuem an, sprang an ihm hoch, streckte die Zunge aus dem Maul und versuchte, sein Gesicht zu lecken.
Er stieß das Tier zurück. Es gab nicht auf. Da spuckte er den Seifenstein schnell hintereinander mehrmals an und hob ihn in die Höhe. Der Hund hatte verstanden. Er richtete sich auf, machte Männchen, wartete auf den Wurf.

Er richtete sich auf, machte Männchen, wartete auf den Wurf. Der Hund hatte verstanden. Da spuckte er den Seifenstein schnell hintereinander mehrmals an und hob ihn in die Höhe. Es gab nicht auf. Er stieß das Tier zurück.

Er nahm das Stück Seife an sich, steckte es ein, um es draußen in den nächsten Abfallkübel zu werfen.

Es war nur ein Stück Seife: dunkelfarbig, kantig und viel kleiner, als er es als Kind gesehen hatte. Der Hund bellte und stank.

Er fand nur das Stück Seife. Er mußte Schuhe, Säbel und Seife finden. Die Notenstöße waren noch da.

Er stellte sich neben ihn, bellte wieder, wollte an ihm hochspringen, aber er stieß ihn von sich. Der Hund bellte und stank sich an ihn heran. Die Tür zum Vorzimmer ging auf. Die silbernen Schuhe waren nicht mehr da, auch der Säbel und die Seife fehlten.

Da stand anderes, ebenfalls alt.

Er wollte diese Dinge wieder sehen. Wo waren die silbernen Schuhe? Wo war der Säbel? Wo war das Stück Seife? Langsam gewöhnten sich seine Augen an das Dunkel. Er öffnete den Kasten und starrte hinein.
Er erinnerte sich an seine Kindheit und an die Stunden, die er hier verbracht hatte.
Er hatte die versilberten Schuhe an seine Wangen gelegt. Das Silber hatte auf seinen Wangen geglüht. Er hatte sich bemüht, das Bild der geliebten Mutter vor Augen zu zaubern. Das Bild war ausgeblieben. Er hatte in das Dunkel des Kastens gestarrt, und das Silber war wieder kalt geworden.

Er hatte nach dem Säbel gegriffen und ihn mit beiden Händen hochgehoben. Er hatte die Schärfe der Klinge geprüft und das ungeschärfte, kalte Metall wieder weggelegt. Zuletzt hatte er das kleine Stück Seife genommen, es zum Mund geführt und daran geleckt. Nie hatte er verstehen können, warum der Vater gerade auf dieses Stück so besonders stolz war. Es war nichts als ein harter Stein.

Irgend jemand hatte nach ihm gerufen. Er hatte das tote Stück Seife in den Kasten zurückgelegt, sich aber nicht gemeldet. Er hatte sich neben den Kasten in die dunkelste Ecke des Ganges gestellt und gewartet. Eine Hand hatte nach ihm getastet, von ihm Besitz ergriffen. Es war nicht die Hand der geliebten Mutter.

Es gab hier kein Fenster. Der Gang war finster und kühl. Geht mit frohem Gemüt zu Tische. Die Sorgen des Alltags sollen beim Mahl fernbleiben. Kinder sollen während des Essens schweigen und dafür gut kauen. Der Hund bellte und stank.

Es ist dein Ei.
Warum möchtest du das Ei haben?
Du hast dich die ganze Zeit nicht darum gekümmert.
Willst du es bei dir daheim aufbewahren?
Warum willst du es zerstören?
Der Hund bellte und stank.

Ein Blick durch das Fenster zeigte den Heiland beim Auferstehen. Zwischen den Gartenzwergen stand das Osterguckei, ein Zuckerei mit Fenster. Im Glaskasten standen die Gartenzwerge. Nichts, fast nichts hatte sich verändert. Der Hund lief voraus. Rechts ging es ins Haus.

Eine solche Frau ließ sich nicht so ohneweiters beseitigen. »Sie sehen gesund aus«, sagte sie, »Gesundheit ist das Wichtigste.« Unter dem Baum saß auf einem wackeligen Sessel und an einem wackeligen Tisch die Abortfrau von der nahen Eisenbahnstation. Der Nußbaum trug noch immer keine Früchte. Der Hof war so staubig wie früher. Die Tür zum Garten stand wie immer offen. Das Schwalbennest war noch da. In der Ecke lehnte die lange Stange mit dem Feuerhaken. Die Kisten gaben dem Haus ein gewisses Ansehen: sie waren ein Stück vom alten Kaisergelb.

Es war eine schöne Zeit beim alten Kaiser.
Ich habe den Kaiser noch gesehen.
Nur einmal, aber ich habe ihn gesehen.
Ich bin mit der Mutter auf der Ringstraße gestanden, die Mutter hat mich an der Hand gehalten, und wie er, der Kaiser, vorbeigekommen ist, hat sie, die Mutter, gesagt: Schau, Bub, der Kaiser.
Zur Welt war der Vater gekommen, als der Maschineningenieur Rudolf Diesel, geboren 1858 in Paris

und ertrunken 1913 im Wasser, den Dieselmotor, eine Schwerölmaschine, erfand. Das war im Jahr 1893.
Große Vorhängeschlösser schützten viel Kram: alte Kleider, wertlose Bücher, Zeitungen und Christbaumschmuck.
Im Hausflur standen noch die alten Kisten.

Sein Vater war von England herübergeflogen. Fast reinrassig. Er war ein Weibchen.
Der Hund bellte und stank. Wie ganz großes Unkraut. Die Bäume dazwischen sahen genauso aus. Ein Kraut sah aus wie das andere. Im Vorgarten wucherte das Unkraut.
Das Schönbrunnergelb war zum Uringelb geworden.
Der Hund bellte und stank.
Hinter der Gittertür stand der Hund, hinter dem Hund das Haus.

Reihe Fischer

Hermann Jandl - Leute Leute
Lyrik (F 3)
»In Hermann Jandls Gedichten ergänzen sich Thematik und Technik. Seine Informationen sind so knapp und treffend, daß er die Reflexionen darüber ganz weglassen kann.« *Hans Bender,* Deutschlandfunk.
»Wer als gehörnter Lyrikleser das Schmunzeln nicht vergißt, kommt hier unweigerlich auf seine Kosten.«
Manfred Leier, Welt der Literatur.

Jürgen Alberts - Aufstand des Eingemachten
Prosa (F 6)
»Pointiert und treffsicher formuliert.« Michael Schulte, FAZ. »Es gelingt Alberts, die Kritik am Detail dursichtig zu machen für die Unwahrheit des Ganzen, ohne daß seine Prosa plakativ – propagandistisch würde und damit auf andere Weise wieder Gegenaufklärung betriebe.«
Gert Ueding, Hessischer Rundfunk.

Ireneusz Iredyński – Versteckt in der Sonne
Roman aus dem Polnischen
von Janusz von Pilecki (F 12)
Seine kühle, kritische, aber bildstarke Prosa zeigt, daß der 1961 mit Adam Wacyks berühmten Roman »Episode« eingeleitete Weg nicht unterbrochen, auch nicht abgeschwächt wurde und daß die politischen Machtkämpfe die Entwicklung der jungen polnischen Literatur nicht aufzuhalten vermögen. Iredynski hat mit seinem Psychogramm eines Wartenden eine Bewußtseinsskizze von der Krise des Individuums inmitten einer von Kollektivzwängen und Mechanismen bedrohten Gesellschaft geliefert, die ihm so schnell keiner nachmacht. *Peter Jokostra,* Christ u. Welt

Reihe Fischer

Lutz Lehmann
Klagen über Lehrer F. und andere
Schul-Beispiele von autoritärer Tradition. (F 13)
»Wenn junge Lehrer nach ihrem Examen in den Schuldienst eintreten, gewillt, an den allgemein proklamierten Reformen mitzuwirken, erleben sie bald ihr blaues Wunder. Einigen besonders krassen Fällen ist Lutz Lehmann nachgegangen.«
Frankfurter Rundschau

Karl-Hermann Flach
Noch eine Chance für die Liberalen. Oder:
die Zukunft der Freiheit. (F 10)
Eine Streitschrift.
»Das Büchlein sollte eine Streitschrift sein, meint der Autor. Es ist mehr. Denn es hilft der Klärung der Begriffe, der Abgrenzung nach rechts und links und gibt der Notwendigkeit nichtrevolutionärer Veränderungen neue Anstöße.« Frankfurter Neue Presse.

Eugen Mahler
Psychische Konflikte und Hochschulstruktur.
Gruppenprotokolle. (F 14)
»Eugen Mahler, einer der ersten, die sich konsequent des psychischen Elends vieler Studenten an einer Massenuniversität (in Frankfurt) angenommen haben, war so weit auch in soziologischen Kategorien geschult, daß ihm das massenhaft Typische an den Krankheitsbildern der Studenten auffiel. Er setzt es in Zusammenhang mit den oft unerträglichen Studienbedingungen, die nicht nur neuroseauslösend, sondern auch neurosefördernd sind.«
Tilmann Moser, FAZ.

Reihe Fischer

F 1 Daniil Charms
Fälle. Prosa, Szenen, Dialoge.

F 2 Sven Holm
Termush, Atlantikküste.

F 3 Hermann Jandl
Leute Leute. Lyrik.

F 4 Ivan Sviták
Hajaja-Philosoph.
Parabeln.

F 5 Jürgen Alberts
Aufstand des Eingemachten.

F 6 Beethoven '70.
Aufsätze.

F 7 Max Horkheimer
Vernunft u. Selbsterhaltung.

F 8 Dieter Schlesak
Visa. Ost-West-Lektionen.

F 9 Burt Blechman
Achtung 901.

F 10 Karl-Hermann Flach
Noch eine Chance für die Liberalen.

F 11 Peter Henisch
Hamlet bleibt. Prosa.

F 12 Ireneusz Iredyński
Versteckt in der Sonne.
Roman.

F 13 Lutz Lehmann
Klagen über Lehrer F. und andere Schul-Beispiele.

F 14 Eugen Mahler
Psychische Konflikte und Hochschulstruktur.

F 15 Hermann Jandl
Vom frommen Ende.

F 16 Hansjörg Pauli
Für wen komponieren Sie eigentlich?

F 17 Charlotte Rothweiler
Ein sozialer Rechtsstaat?

F 18 Alfred Schmidt
Bester jagt Spengler.

F 19 Wallfahrtsstätten der Nation.

F 20 O. K. Werckmeister
Ende der Ästhetik.